# El traje de Jeremías

Dibujos

**Tría 3:**
**Horacio Elena**
**Mabel Piérola**
**Francesc Rovira**

Cuento

**Beatriz Doumerc**

El conejo Jeremías está triste.
No salta, ni juega, y tiene las orejas bajas.
El conejo Jeremías está triste
porque su traje está viejo y lleno de agujeros.

—¡Jeremías, anímate!
¡Te haremos un traje nuevo!
—le dice el jabalí Jacobo.
Y saca una tela roja de un cajón.

La oveja Jacinta trae unas tijeras.
Y el pájaro Benjamín una caja con hilos.

La abeja Juanita trae agujas para coser.
Y todos juntos se ponen a trabajar.

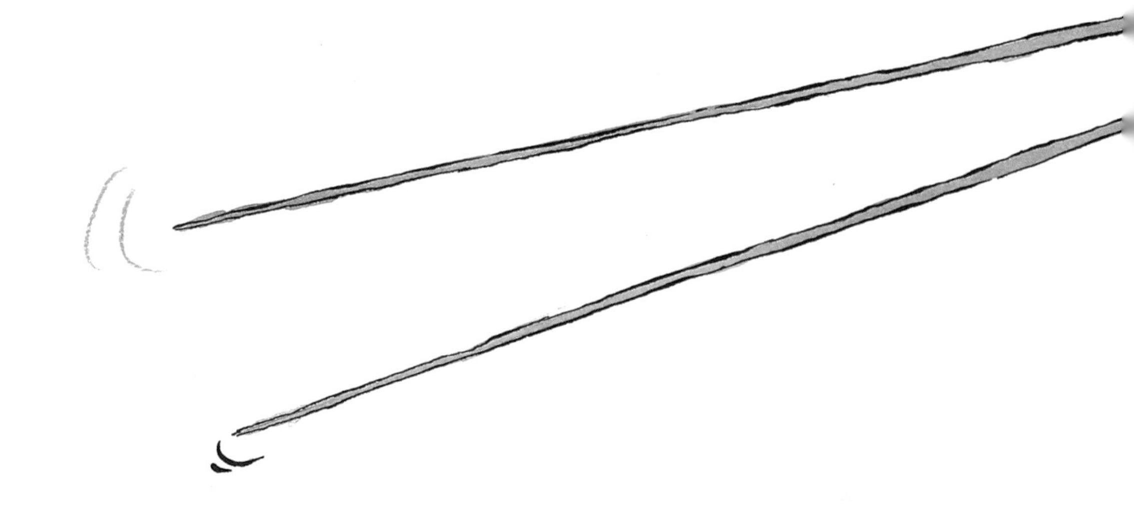

Con las tijeras, la oveja y el jabalí
cortan la tela.
El pájaro y la abeja cosen con hilos y agujas.
Y entre todos hacen un traje precioso,
con ojales y botones.

Cuando el traje está terminado,
Jeremías se lo pone, se mira en el espejo
y exclama:
—¡Qué traje rojo tan bonito, jolín!
Gracias por vuestro trabajo, amigos.

El conejo Jeremías ya no está triste.
Está muy contento con su traje nuevo.
Levanta las orejas, salta la verja y dice:
—¡Vamos a jugar al jardín!

Jeremías prepara a sus amigos
una gran jarra de naranjada.
Y todos beben, y juegan, y se ríen a carcajadas:
—¡Ja, ja, ja! ¡Jo, jo, jo! ¡Je, je, je! ¡Ju, ju, ju! ¡Ji, ji, ji!
¡Menudo jaleo arman el conejo, el jabalí,
la oveja, el pájaro y la abeja en el jardín!

- ¿Por qué está triste el conejo Jeremías?
- ¿De qué color es el traje que le hacen a Jeremías?
- ¿Cuál es tu color favorito?
  ¿Te gusta tener ropa de ese color?
  ¿Qué ropa tienes de ese color?
- ¿Qué dice Jeremías cuando ve su traje nuevo?
- ¿Te has puesto un traje de fiesta alguna vez?
  ¿Qué fiesta se celebraba? Cuéntalo.

**Objetivos:**

Comprender lo que se lee.
Narrar experiencias de la vida cotidiana.

Une con flechas los animales del cuento con sus nombres:

| | |
|---|---|
| el conejo | Juanita |
| la abeja | Benjamín |
| la oveja | Jeremías |
| el pájaro | Jacobo |
| el jabalí | Jacinta |

¿Serías capaz de decir en qué orden aparecen esos animales en el cuento? Fíjate: *Primero aparece el conejo Jeremías. Después aparece el jabalí...* (Sigue tú.)

**Objetivos:**

Desarrollar la memoria.
Ejercitar la atención.
Establecer secuencias temporales.

JUEGA con la j

Rodea con un círculo rojo los dibujos que tengan una **j** en su nombre.

**Objetivos:**

Ejercitar la atención.
Asociar imágenes con palabras.
Desarrollar la coordinación visomanual.

¿Te atreves a contar el cuento con tus propias palabras? Puedes empezar así:

*El conejo Jeremías está triste*
*porque su traje está viejo.*
*Entonces el jabalí Jacobo*
*le dice que entre todos sus amigos*
*van a hacerle un traje nuevo, y...*

(Sigue tú.)

**Objetivos:**

Resumir el cuento.
Interpretar la lectura de forma personal.

---

También puedes hacer poemas con los personajes de este cuento. Por ejemplo:

*Jacobo el jabalí*
*sale corriendo al jardín*
*y ve a la abeja Juanita*
*posada en una margarita.*

¿Te animas a hacer tú otro poema?

**Objetivos:**

Estimular la creatividad.
Utilizar el lenguaje oral combinando sonidos semejantes.

- Ahora vamos a inventarnos nombres de animales usando algunas letras de la palabra *jabalí* y otras letras de la palabra *conejo*.

  ¿A que salen nombres rarísimos? Por ejemplo: *jabanejo, conelí...*

  ¿Cómo te imaginas que sería, por ejemplo, un *jabanejo*? (Pues un animal que fuera mitad jabalí y mitad conejo, ¿no?)

- ¿Te atreves a dibujar aquí un *jabanejo*?

**Objetivos:**

Discriminar sonidos.
Desarrollar la creatividad.

Colorea las letras **j** minúscula y **J** mayúscula y luego recórtalas.

Así podrás ir formando tu propio ZOO DE LAS LETRAS con los cuentos de esta colección.

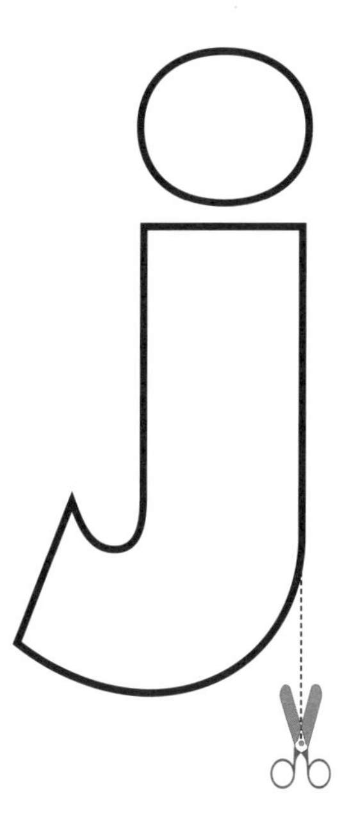

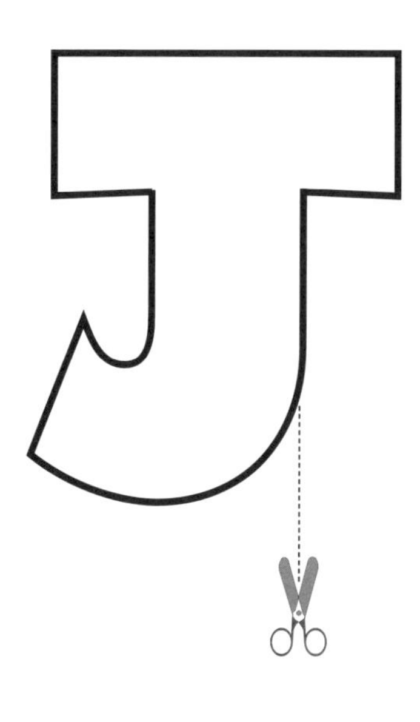

**Objetivos:**

Reconocer las letras **j, J.**
Ejercitar la coordinación visomanual.

colección
El zoo de las letras